El libro de c

saludable para la olla

instantánea

El libro de cocina instantánea más completo y saludable con deliciosas recetas de alimentos integrales para su olla a presión, para comer comidas ligeras y saludables

Brian Smith

Juan García

Índice de contenidos

parte del lector hará que cualquier acción resultante sea de su exclusiva responsabilidad. No existe ningún escenario en el que el editor o el autor original de esta obra puedan ser considerados de alguna manera responsables de cualquier dificultad o daño que pueda ocurrirles después de emprender la información aquí descrita. Además, la información contenida en las siguientes páginas está destinada únicamente a fines informativos y, por lo tanto, debe considerarse universal. Como corresponde a su naturaleza, se presenta sin asegurar su validez prolongada ni su calidad provisional. Las marcas comerciales que se mencionan se hacen sin el consentimiento por escrito y no pueden considerarse en modo alguno como un respaldo del titular de la marca.

Introducción

La olla instantánea es una olla a presión, también saltea, guisa y cocina arroz, cocina verduras y pollo. Es un aparato "todo en uno", por lo que puede sazonar el pollo y cocinarlo en la misma olla, por ejemplo. En la mayoría de los casos, las comidas de la olla instantánea pueden servirse en menos de una hora.

La cocción en menos tiempo se debe a la función de cocción a presión que captura el vapor generado por el entorno de cocción de los líquidos (incluidos los líquidos liberados por la carne y las verduras), aumenta la presión y empuja el vapor hacia atrás.

Pero no se confunda con las ollas a presión tradicionales. La olla instantánea, a diferencia de la olla a presión que usaban los abuelos, elimina el riesgo de seguridad con una tapa que se bloquea y permanece cerrada hasta que se libera la presión.

Aunque el tiempo de cocción en la olla instantánea haya terminado, es necesario realizar un paso adicional: liberar la presión.

Hay dos maneras de aliviar la presión. Debido a la liberación natural de la presión, la válvula de la tapa permanece en la posición de sellado y la presión se disipará naturalmente con el tiempo. Este proceso tarda entre 20 minutos y más de una hora, dependiendo de lo que se cocine. Los alimentos de baja fluidez (como las alitas de pollo) tardan menos que los de alta fluidez, como las sopas y los adobos.

Otra opción es la liberación manual de la presión (también llamada liberación rápida). En este caso hay que mover con cuidado la válvula a la posición de ventilación y ver que el vapor sube lentamente y se libera la presión. Esta forma de proceder es mucho más rápida, pero los alimentos con alto contenido líquido, como las sopas, tardan unos 15 minutos en liberar la presión manualmente.

¿Qué opción debo utilizar? Tenga en cuenta que aunque se libere la presión natural, la olla instantánea sigue bajo presión. Esto significa que los alimentos seguirán cocinándose mientras la olla instantánea esté en modo sellado. La liberación manual de la presión es útil cuando los platos están bien cocinados y es necesario detenerlos lo antes posible.

Si el objetivo es preparar las comidas con rapidez, ajuste el tiempo de cocción de los platos que se cocinan en una olla instantánea y libere la presión manualmente una vez transcurrido el tiempo.

Las ollas instantáneas (llamadas "Instapot" por muchos) son uno de nuestros utensilios de cocina favoritos porque pueden manejar una gran variedad de alimentos casi con facilidad. Las ollas instantáneas van desde las que funcionan con lo básico de la cocina a presión hasta las que se pueden esterilizar mediante el vídeo Suicida o algunos modelos se pueden controlar mediante Wi-Fi.

Además, si quieres ampliar la gama de utensilios de cocina, la marca Instant Pot ha sacado una freidora de aire que se puede utilizar para hacer pollo asado y cecina casera. También hay un dispositivo acumulador independiente que se puede utilizar en las ollas instantáneas para hacer pescado, filetes y más.

El icono actual olla instantánea funciona como una olla a presión y utiliza el calor y el vapor para cocinar rápidamente los alimentos. Se cocinó todo, desde las carnitas perfectas hasta los huevos cocidos, pero no todos los ingredientes y las instrucciones funcionan. Aquí hay algunos alimentos que no deben ser cocinados en las clásicas ollas instantáneas.

Las ollas instantáneas no son freidoras a presión y no están diseñadas para manejar las altas temperaturas requeridas para calentar aceites de cocina como el pollo frito crujiente. Por supuesto, la olla instantánea es estupenda para platos como las Carnitas, pero después de sacar la carne de la olla instantánea, para conseguir el crujiente final en la carne, pásala a una sartén durante unos minutos o a una tapa de horno y crujiente en el horno.

Al igual que con las ollas de cocción lenta, los productos lácteos como el queso, la leche y la crema agria se envasarán en las ollas instantáneas utilizando los ajustes de cocción a presión o de cocción lenta. No añada estos ingredientes después de que el plato esté cocinado o cree una receta en Instapot.

Hay dos excepciones. Una es cuando se hace yogur. Esto sólo es posible si se utiliza una receta de olla instantánea. La otra es sólo cuando se hace tarta de queso y se sigue una receta de olla instantánea.

Aunque técnicamente se puede cocinar la pasta en una olla instantánea, pueden aparecer gomitas y la cocción puede ser desigual. Para ser honesto, a menos que tenga una opción, cocinar la pasta en una olla de la estufa es igual de rápido y fácil y consistentemente le da una mejor pasta cocida.

En lugar de hornear el pastel en una olla instantánea, cocínelo al vapor. El bizcocho está húmedo -funciona para cosas como el budín de pan- pero no hay una buena piel en el bizcocho o en el borde crujiente que todos combaten con un brownie horneado. Sin embargo, digamos que tu deseo es hacer un primer plano o un postre sencillo con tu familia; puedes conseguir un bizcocho húmedo en unos 30 minutos, excepto durante el tiempo de las instrucciones.

La conserva, una técnica para cocinar y sellar los alimentos en un frasco, suele hacerse en una olla a presión. Por lo tanto, se recomienda crear un lote de mermelada, encurtidos o jalea en Instapot. Por favor, no lo haga.

Con una olla instantánea, no se puede controlar la temperatura de lo que se enlata, como en una olla a presión normal. En el enlatado, es importante cocinar y sellar los platos correctamente. Una cocción y un sellado incorrectos pueden provocar la proliferación de bacterias que pueden causar intoxicaciones alimentarias.

Si quiere evitar el enlatado en una olla instantánea, algunos modelos más nuevos, como Duo Plus, tienen un ajuste de esterilización que puede limpiar artículos de cocina como biberones, botellas y utensilios de cocina.

Consejos de seguridad para la olla a presión Instant Pot

La olla instantánea es una olla a presión muy segura que consta de varios mecanismos de seguridad. no se preocupe. No va a explotar inmediatamente. La mayoría de los accidentes son causados por errores del usuario y pueden evitarse fácilmente. Para minimizar aún más la posibilidad de un accidente, hemos recopilado una lista de consejos de seguridad.

1 No lo dejes solo

No se recomienda salir de casa mientras se cocina en una olla instantánea. Si tiene que dejarla sola, asegúrese de que está bajo presión y no sale vapor.

2 No usar KFC en la olla instantánea

No fría en una olla instantánea u otra olla a presión.

KFC utiliza una freidora a presión comercial hecha especialmente para freír pollo (la última que funciona a 5 PSI). Las ollas instantáneas (10,5-11,6 PSI) están hechas especialmente para facilitarnos la vida.

3 ¡Ingesta de agua!

Las ollas instantáneas requieren un mínimo de 1 1/2 taza de líquido (número oficial de Instant Pot) 1 taza de líquido para alcanzar y mantener la presión.

El líquido puede ser una combinación de salsa, vinagre, agua, pollo, etc.

4 medio lleno o medio vacío

La línea máxima impresa en la olla interior de la olla instantánea no es para cocinar a presión.

Para cocinar a presión: hasta 2/3 de su capacidad

Alimentos para cocinar a presión que se expanden durante la cocción (granos, frijoles, verduras secas, etc.): hasta 1/2

5 No es un vaporizador facial

La limpieza profunda no se realiza aunque se utilice el vapor de la olla a presión una vez.

Al abrirla, incline siempre la tapa en dirección contraria a usted. Utilice guantes de silicona impermeables y resistentes al calor, especialmente cuando realice la apertura rápida.

6 no usar nunca la energía

En situaciones de cero, debe tratar de forzar la apertura de la tapa de la olla a presión instantánea, a menos que quiera evitar que un sable de luz le golpee la cara.

7 Lavado y salida

Si quiere estar seguro, lave la tapa después de cada uso y limpie el escudo antibloqueo y la olla interior. Asegúrese de que la junta (anillo de sellado de silicona) está en buen estado y de que no hay restos de comida en el escudo antibloqueo antes de usarlo.

Por lo general, los anillos de sellado de silicona deben sustituirse cada 18-24 meses. Siempre es aconsejable guardar cosas de más.

No compre un anillo de sellado de un tercero porque es una parte integral de las características de seguridad del anillo instantáneo.

El uso de anillos de sellado que no han sido probados con los productos de la olla instantánea puede crear graves problemas de seguridad."

Antes de utilizarlo, asegúrese de que la junta de estanqueidad está bien fijada a la rejilla de la junta de estanqueidad y que el escudo antibloqueo está bien colocado en el tubo de descarga de vapor.

Una junta de estanqueidad bien ajustada puede moverse en el sentido de las agujas del reloj o en sentido contrario en la cremallera de la junta de estanqueidad con poca fuerza.

Con las ollas instantáneas, toda la familia puede cocinar comidas en menos de 30 minutos. Los platos cocinados como el arroz, el pollo, el estofado de carne, la salsa, el yakitori pueden cocinarse durante 30-60 minutos desde el principio hasta el final. Y sí, se puede hacer pan en una olla instantánea.

Los aficionados a las dietas antiguas y cetogénicas adoran las ollas instantáneas por su capacidad para ``asar" carne en tan poco tiempo, pero los vegetarianos y veganos que pueden cocinar rápidamente platos como la sopa de calabaza, las patatas al horno y los chiles marinados con patatas, también aprecian mucho la crema de avena y los macarrones con queso.

Incluso las alubias secas, que suelen requerir una cocción nocturna, pueden prepararse en 30 minutos para hacer un hummus picante.

Desayuno

Calabaza de bellota

Tiempo de preparación: 15 minutos
Tiempo de cocción: 20 minutos
Porciones: 4
Ingredientes:
1 calabaza de bellota
3 cucharadas de mantequilla (derretida)
2 cucharaditas de azúcar moreno
1/2 cucharadita de sal Kosher
Pimienta negra al gusto
Coberturas opcionales: mantequilla derretida, frutos secos tostados (picados), semillas de granada
Direcciones:
Limpiar la calabaza y recortar los extremos. Cortarla por la mitad y quitarle las semillas. Cortar en medio centímetro de grosor.
Combinar en un bol el azúcar moreno y la mantequilla derretida. Condimentar con sal y pimienta.
Añade la calabaza de bellota y remueve para cubrirla.
Coloque la calabaza recubierta en la cesta de la freidora de aire y coloque la tapa de la freidora de aire en la olla

instantánea. Poner a freír a 375 grados Fahrenheit durante 15-20 minutos o hasta que esté tierna, dándole la vuelta a los 10 minutos de cocción.

Una vez hecho, servir en una fuente rociada con mantequilla derretida, granos de granada y nueces picadas. Probar la sazón y ajustar el sabor si es necesario.

La nutrición:

Calorías - 152 Kcal;

Grasa - 7,73;

Carbohidratos - 27,74 G;

Proteína -2,63 G;

Azúcar -12,45 G;

Fibra - 4,6 G;

Sodio - 352 Mg

Aguacate frito al aire en olla instantánea

Tiempo de preparación: 10 minutos

Tiempo de cocción: 10 minutos

Raciones: 2

Ingredientes:

1/2 taza de harina de uso general

2 aguacates

2 huevos grandes

2 cucharadas de mayonesa de canola

1 cucharada de vinagre de sidra de manzana

1 cucharada de salsa de chile Sriracha

1 1/2 cucharadita de pimienta negra

1/4 de cucharadita de sal Kosher

1/2 taza de pan rallado panko

1/4 de taza de ketchup sin sal añadida

1 cucharada de agua

Spray de cocina

Direcciones:

Cortar el aguacate en 4 cuñas cada uno. Preparar 3 platos llanos.

En el primer plato llano, combine los trozos de aguacate con la harina y la pimienta.

En otro plato, bata ligeramente los huevos

Colocar el pan rallado en el tercer plato

En primer lugar, pase los trozos de aguacate por la mezcla de harina, uno tras otro. Después de enharinarlos, sacudirlos ligeramente para eliminar el exceso de harina y sumergirlos en la mezcla de huevo, sacudiéndolos también ligeramente para eliminar el exceso de líquido. Por último, sumerja cada cuña en el pan rallado, cubriéndolas uniformemente por todos los lados, y rocíe con aceite de cocina.

Disponga el aguacate en cuñas en la cesta de la freidora de aire instantánea duo, colóquelo dentro de la olla y cúbralo con la tapa de la freidora de aire. Poner a 400 grados F hasta que las cuñas se doren, dándoles la vuelta a mitad de la cocción. Saque las cuñas de aguacate de la freidora y espolvoréelas con sal.

Mientras tanto, mientras se espera a que se cocinen las cuñas de aguacate, mezclar la mayonesa, el ketchup, el vinagre de sidra de manzana y la salsa sriracha en un bol pequeño.

Servir la salsa preparada con los trozos de aguacate mientras está caliente.

La nutrición:

Calorías - 274 Kcal; Grasas - 18g; Carbohidratos - 23g; Proteínas -5g; Azúcar -5g; Fibra - 7g; Sodio - 306mg

Verduras mediterráneas en la freidora instantánea

Tiempo de preparación: 5 minutos

Tiempo de cocción: 20 minutos

Porciones: 4

Ingredientes:

1 1 calabacín grande

50 g de tomates cherry

1 pimiento verde

1 zanahoria mediana

1 chirivía grande

1 cucharadita de mezcla de hierbas

2 cucharadas de miel

Cucharada de aceite de oliva

2 cucharaditas de puré de ajo

1 cucharadita de mostaza

Sal y pimienta al gusto

Direcciones:

Cortar el calabacín y el pimiento verde en rodajas.

Pelar y cortar en dados las zanahorias y las chirivías

Añade todo junto en la cesta de la freidora de aire del dúo de ollas instantáneas junto con los tomates cherry crudos.

Rocía con tres cucharadas de aceite de oliva.

Colocar la freidora de aire en la olla y freír durante 15 minutos a 356 grados Fahrenheit utilizando la freidora de aire instantánea crujiente. Ponga más sal si es necesario y sirva.

La nutrición:

Calorías - 281 Kcal;

Grasa - 21g;

Carbohidratos - 21g;

Proteína -2g;

Azúcar -13g;

Fibra - 3g;

Sodio - 36mg

Patatas al aire libre al romero

Tiempo de preparación: 10 minutos

Tiempo de cocción: 15 minutos

Porciones: 4

Ingredientes:

3 cucharadas de aceite vegetal

4 patatas baby amarillas (cortadas en cuartos)

2 cucharaditas de romero seco picado

1 cucharada de ajo picado

1 cucharadita de pimienta negra molida

1/4 de taza de perejil picado

1 cucharada de zumo de lima o limón fresco

1 cucharadita de sal

Direcciones:

Añadir las patatas, el ajo, el romero, la pimienta y la sal en un bol grande. Mezclar bien.

Disponga las patatas sazonadas en la cesta de la freidora de aire y colóquela dentro del dúo de la olla instantánea.

Cubre con la tapa de la freidora y fríe a 400 grados Fahrenheit durante unos 15 minutos.

Compruebe si los tomates están bien cocidos, ya que depende del tamaño de las patatas.

Una vez cocido, sácalo de la freidora de aire y colócalo en una bandeja.

Rocíe con zumo de limón y perejil.

Servir caliente.

La nutrición:

Calorías - 201 Kcal;

 Grasa - 10,71g;

Carbohidratos - 22,71g;

Proteínas -3,34g;

Azúcar -1,32g;

Fibra - 3,5g;

Medley de brócoli y coliflor

Tiempo de preparación: 10 minutos

Tiempo de cocción: 10 minutos

Porción: 2

Ingredientes:

1/2 libra de brócoli fresco

1/2 libra de coliflor fresca

1 cucharada de aceite de oliva

1/4 de cucharadita de pimienta negra

1/4 de cucharadita de sal

1/4 de cucharadita de sal de ajo

1/3 de taza de agua

Direcciones:

Mezclar la verdura con los condimentos y el aceite de oliva en un bol.

Vierta 1/3 de taza de agua en la base del dúo de la olla instantánea.

Coloque la cesta Air fry en el interior y extienda las verduras en ella.

Ponga la tapa de la Air Fryer y séllela.

Pulsa el "Botón de asado" y selecciona 10 minutos de cocción, luego pulsa "Inicio".

Una vez que la Instant Pot Duo emita un pitido, retire la tapa.

Sirve.

La nutrición:

Calorías 90

Grasa total 7g

Sodio 324mg

Carbohidratos totales 7,4g

Fibra dietética 3,1g

Azúcares totales 2,8g

Proteínas 3,1g

Mezcla de calabazas asadas

Tiempo de preparación: 10 minutos

Tiempo de cocción: 40 minutos

Raciones: 2

Ingredientes:

3 patatas, cortadas en cubos

1 cebolla roja, cortada en cuartos

1 calabaza, cortada en cubos

1 batata, pelada y cortada en cubos

1 cucharada de tomillo fresco picado

2 cucharadas de romero fresco picado

2 pimientos rojos, sin semillas y cortados en dados

1/4 de taza de aceite de oliva

2 cucharadas de vinagre balsámico

Sal y pimienta negra recién molida

Direcciones:

Bata el romero con el tomillo, el vinagre, el aceite de oliva, la pimienta negra y la sal en un bol.

Añada la cebolla, los pimientos, la calabaza, las patatas y el boniato.

Añade las verduras a la Instant Pot Duo.

Ponga la tapa de la Air Fryer y séllela.

Pulsa el "Botón de asado" y selecciona 40 minutos de cocción, luego pulsa "Inicio".

Remover las verduras asadas cada 10 minutos.

Una vez que la Instant Pot Duo emita un pitido, retire la tapa. Sirve.

La nutrición:

Calorías 570

Grasa total 26,7g

Grasas saturadas 4g

Sodio 58mg

Carbohidratos totales 82,8g

Fibra dietética 11,5g

Azúcares totales 15,4g

Proteínas 9,2g

Satay de calabacín

Tiempo de preparación: 10 minutos

Tiempo de cocción: 10 minutos

Raciones: 2

Ingredientes:

2 calabacines en rodajas

2 calabazas amarillas, cortadas en rodajas

1 recipiente de champiñones, cortados por la mitad

1/2 taza de aceite de oliva

1/2 cebolla en rodajas

3/4 de cucharadita de condimento italiano

1/2 cucharadita de sal de ajo

1/4 de cucharadita de sal sazonada

Direcciones:

Mezcle el calabacín, la calabaza, la cebolla y los champiñones en un bol grande.

Bata el aceite de oliva, con el condimento italiano, la sal y la sal de ajo en un bol pequeño.

Vierta esta mezcla de aceite de oliva en las verduras y mézclelas bien.

Distribuya las verduras sazonadas en la cesta de la freidora.

Coloque la cesta de la freidora de aire en la Instant Pot Duo.

Ponga la tapa de la Air Fryer y séllela.

Pulsa el "Botón de freír al aire" y selecciona 10 minutos de cocción, luego pulsa "Inicio".

Una vez que la Instant Pot Duo emita un pitido, retire la tapa.

Sirve.

La nutrición:

Calorías 492

Grasa total 51,4g

Grasas saturadas 7,4g

Colesterol 1mg

Sodio 22mg

Carbohidratos totales 11,8g

Fibra dietética 4,2g

Azúcares totales 5,5g

Proteína 4.7g

Pasta de coliflor y queso

Tiempo de preparación: 10 minutos

Tiempo de cocción: 27 minutos

Porciones: 4

Ingredientes:

9 oz. de pasta de concha, cocida y escurrida

3.5 oz. de mantequilla sin sal

2 hojas de laurel

1 cebolla picada

3 dientes de ajo machacados

1/2 manojo de salvia picada

1 cucharada de harina común

3 3/4 tazas de nata

7 oz. de queso ahumado, rallado grueso

1 1/4 tazas de parmesano rallado

1 coliflor grande, escaldada, cortada en trozos

1/4 de cucharadita de nuez moscada rallada

Direcciones:

Poner una sartén a fuego medio-alto y añadir la mantequilla.

Se derrite y se añade el ajo, la cebolla y el laurel y se rehoga durante 5 minutos.

Deseche las hojas de laurel y añada la harina y la salvia. Remueva y cocine durante 2 minutos.

Añade poco a poco la nata, el queso, la pasta y el parmesano, y luego añade la coliflor desmenuzada.

Añada la nuez moscada y el condimento y páselo a la Instant Pot Duo.

Ponga la tapa de la Air Fryer y séllela.

Pulsa el "Botón de hornear" y selecciona 20 minutos de cocción, luego pulsa "Inicio".

Una vez que la Instant Pot Duo emita un pitido, retire la tapa.

Sirve.

La nutrición:

Calorías 427

Grasa total 23,8g

Grasas saturadas 14,4g

Colesterol 106mg

Sodio 263mg

Carbohidratos totales 43,1g

Fibra dietética 2,5g

Azúcares totales 2,9 g, proteínas 12,1 g

Gnocchi de calabaza al horno

Tiempo de preparación: 10 minutos

Tiempo de cocción: 46 minutos

Porciones: 6

Ingredientes:

26 oz. de ñoquis de patata, cocidos

1/3 de taza de aceite de oliva

16 hojas de salvia

26 oz. de calabaza, cortada en rodajas

2 yemas de huevo

2 ½ tazas de nata

1/2 cucharadita de nuez moscada finamente rallada

3/4 de taza de mozzarella rallada gruesa

3.5 oz. de queso azul, desmenuzado

Avellanas tostadas picadas, para servir

Direcciones:

Mezclar la calabaza con 1 cucharada de aceite en un bol.

Incorpore las yemas de huevo, la nata, los ñoquis, la mitad de la salvia, la mitad del queso azul, la nuez moscada, la nata y la mozzarella.

Extiende esta mezcla en el inserto de la Instant Pot Duo.

Cubrir la cazuela con el queso restante.

Ponga la tapa de la Air Fryer y séllela.

Pulsa el "Botón de hornear" y selecciona 45 minutos de cocción, luego pulsa "Inicio".

Una vez que la Instant Pot Duo emita un pitido, retire la tapa.

Calentar ¼ de taza en una sartén y añadir la salvia.

Saltear durante 1 minuto.

Pasar la salvia frita a un plato forrado con una toalla de papel.

Añadir esta salvia frita, y las nueces a la cazuela.

Adornar con aceite de salvia.

Sirve.

La nutrición:

Calorías 537

Grasa total 30,8g

Grasas saturadas 13g

Colesterol 122mg

Sodio 560mg

Carbohidratos totales 50,1g

Fibra dietética 0,8g

Azúcares totales 0,9g Proteína 17.8g

Lasaña de calabaza

Tiempo de preparación: 10 minutos

Tiempo de cocción: 60 minutos

Porciones: 6

Ingredientes:

28 oz. de calabaza, cortada en rodajas

1 manojo de salvia picada

1/2 taza de ghee derretido

1 puerro, cortado en rodajas finas

4 dientes de ajo, finamente rallados

3,5 oz. de hojas de col rizada y cavolo Nero ralladas

270 g de tomates semi-secos, escurridos y picados

17 oz. quark

2 huevos ligeramente batidos

Direcciones:

Mezclar las rodajas de calabaza con las hojas de salvia, 2 cucharaditas de sal y 2 cucharadas de ghee en un bol.

Mezcle el puerro por separado con 2 cucharadas de ghee, el ajo y ½ cucharadita de sal en otro bol.

Mezcle la col rizada con 1 cucharadita de sal, el tomate y el cavolo Nero en un bol.

Ahora bate los huevos con el quark y la salvia en un bol.

Coge un molde para hornear que pueda caber en la Instant Pot Duo.

Añade 1/3 de la mezcla de puerros en la base del molde.

Cubrir esta mezcla con una capa de rodajas de calabaza.

Añade 1/3 de la mezcla de quark por encima y luego añade 1/3 de la mezcla de col rizada por encima.

Cubrirlo con rodajas de calabaza y seguir repitiendo la capa mientras se termina con la capa de rodajas de calabaza en la parte superior.

Coloque la bandeja de hornear en el dúo de la olla instantánea.

Ponga la tapa de la Air Fryer y séllela.

Pulsa el "Botón de horneado" y selecciona 60 minutos de cocción, luego pulsa "Inicio".

Una vez que la Instant Pot Duo emita un pitido, retire la tapa.

Sirve.

La nutrición:

Calorías 491

Grasa total 29,9g

Grasas saturadas 16,9g

Carbohidratos totales 52,1g, proteínas 14,8g

Haloumi Rusti al horno

Tiempo de preparación: 10 minutos

Tiempo de cocción: 35 minutos

Porciones: 4

Ingredientes:

Aceite de oliva, para pincelar

7 oz. de boniato, rallado grueso

10 oz. de patatas, ralladas gruesas

10 oz. de zanahorias, ralladas gruesas

9 oz. de halloumi, rallado grueso

1/2 cebolla rallada

2 cucharadas de hojas de tomillo

2 huevos

1/3 de taza de harina común

1/2 taza de crema agria, para servir

Ensalada de hinojo

2 tallos de apio, cortados en rodajas finas

1 hinojo, cortado en rodajas finas

1/2 taza de aceitunas picadas

Zumo de 1 limón

1 cuarto de limón picado

1 cucharadita de semillas de cilantro tostadas y molidas

Direcciones:

Mezclar en un bol el boniato, la zanahoria, la patata, la cebolla, el halloumi, el tomillo, la harina y los huevos.

Extiende esta mezcla en el inserto de la Instant Pot Duo.

Ponga la tapa de la Air Fryer y séllela.

Pulsa el "Botón de hornear" y selecciona 35 minutos de cocción, luego pulsa "Inicio".

Una vez que la Instant Pot Duo emita un pitido, retire la tapa.

Preparar la ensalada mezclando sus ingredientes: en una ensaladera.

Servir el rosti de boniato con la ensalada preparada.

La nutrición:

Calorías 462

Grasa total 21,1g

Carbohidratos totales 43,9g, Proteína 23g

Gratinado de patatas con apio nabo

Tiempo de preparación: 10 minutos

Tiempo de cocción: 63 minutos

Porciones: 6

Ingredientes:

2 tazas de crema

1 cucharadita de semillas de alcaravea tostadas

1 diente de ajo machacado

1 cucharadita de semillas de hinojo tostadas

2 hojas de laurel

1/4 de cucharadita de clavo de olor molido

Ralladura de 1/2 limón

2 cucharaditas de mantequilla derretida

1kg de patatas peladas

1 taza de apio, pelado y picado

6 lonchas de jamón serrano desmenuzadas

3/4 de taza de ricotta fresca

¼ de taza de queso fontina rallado

Direcciones:

Añada la nata, el ajo, las semillas de alcaravea, los clavos de olor, las hojas de laurel, el hinojo, la ralladura y los clavos de olor a una cacerola.

Remover esta mezcla durante 3 minutos y retirar del fuego.

Corta las patatas en rodajas finas pasándolas por la mandolina y extiéndelas en el inserto de la Instant Pot Duo.

Cubrir la patata con el apio, la salsa blanca preparada, el prosciutto y la ricotta.

Ponga la tapa de la Air Fryer y séllela.

Pulsa el "Botón de horneado" y selecciona 60 minutos de cocción, luego pulsa "Inicio".

Una vez que la Instant Pot Duo emita un pitido, retire la tapa.

Sirve.

La nutrición:

Calorías 399

Grasa total 20,3g

Carbohidratos totales 23,6g

Proteínas 31,3g

Asado de berenjena y piñones

Tiempo de preparación: 10 minutos

Tiempo de cocción: 66 minutos

Porciones: 6

Ingredientes:

6 berenjenas japonesas

2/3 de taza de aceite de oliva

1 cebolla finamente picada

4 dientes de ajo machacados

1 1/2 cucharadas de pesto de tomate seco

1 cucharadita de pimentón ahumado

Lata de 14 oz. de tomates cherry

1 cucharadita de zaatar, más una cantidad extra para servir

2/3 de taza de caldo de verduras

1/2 manojo de menta picada

2 cucharadas de piñones tostados y triturados

1/4 de taza de yogur griego

Zumo de 1 limón

Direcciones:

Añade las berenjenas a la cesta de la Air Fryer y vierte 2 cucharadas de aceite sobre ellas.

Coloque la cesta de la freidora de aire en la Instant Pot Duo.

Ponga la tapa de la Air Fryer y séllela.

Pulsa el "Botón de hornear" y selecciona 30 minutos de cocción, luego pulsa "Inicio".

Una vez que la Instant Pot Duo emita un pitido, retire la tapa.

Mientras tanto, prepare la salsa salteando la cebolla con el aceite restante en una sartén.

Después de 4 minutos, añada el ajo y saltéelo durante 2 minutos.

Añadir el tomate, el caldo, el zaatar, el pimentón y el pesto de tomate.

Cocer esta salsa durante 10 minutos hasta que espese.

Vierta esta salsa sobre la berenjena y continúe horneando durante otros 20 minutos.

Mezclar el yogur con el zumo de limón, la menta y los piñones.

Servir las berenjenas al horno con yogur.

La nutrición:

Calorías 413

Grasa total 25g

Carbohidratos totales 45g

Proteínas 9,2g

Cazuela de verduras asadas

Tiempo de preparación: 10 minutos

Tiempo de cocción: 50 minutos

Porciones: 6

Ingredientes:

½ cabeza de coliflor, cortada en trozos

1 batata, pelada y cortada en cubos

2 pimientos rojos, cortados en cubos

1 cebolla amarilla, cortada en rodajas

3 cucharadas de aceite de oliva

1 cucharadita de comino molido

Sal

Pimienta negra recién molida

2 ¼ tazas de salsa roja

½ taza de cilantro fresco picado

9 tortillas de maíz cortadas por la mitad

1 lata (15 oz.) de frijoles negros, escurridos

2 puñados grandes (unas 2 onzas) de hojas de espinacas tiernas

2 tazas de queso Monterey Jack, rallado

Direcciones:

Mezcle las verduras con el aceite de oliva, la sal, la pimienta negra y el comino en un bol grande.

Añade estas verduras a la cesta de la Air Fryer y ponla dentro de la Instant Pot Duo.

Ponga la tapa de la Air Fryer y séllela.

Pulsa el "Botón de hornear" y selecciona 30 minutos de cocción, luego pulsa "Inicio".

Una vez que la Instant Pot Duo emita un pitido, retire la tapa.

Transfiera las verduras a una bandeja para hornear y cubra con la salsa, la tortilla, los frijoles, las espinacas y el queso.

Coloque esta sartén en la Instant Pot Duo.

Ponga la tapa de la Air Fryer y séllela.

Pulsa el "Botón de hornear" y selecciona 20 minutos de cocción, luego pulsa "Inicio".

Una vez que la Instant Pot Duo emita un pitido, retire la tapa.

Sirve.

La nutrición:

Calorías 390

Grasa total 20,5g

Carbohidratos totales 38,7g

Proteína 15.8g

Brócoli crujiente en la freidora

Tiempo de preparación: 5 minutos

Tiempo de cocción: 10 minutos

Porciones: 4

Ingredientes:

2 cucharadas de aceite de cocina

1 libra de brócoli (cortado en trozos pequeños)

½ cucharadita de ajo en polvo

Sal y pimienta al gusto

Gajos de limón fresco

Direcciones

Poner el brócoli en un bol y rociar uniformemente con aceite de oliva.

Sazone el brócoli con ajo en polvo, sal y pimienta.

Poner en la cesta de la freidora de aire instantánea crujiente y cubrir con la tapa de la freidora de aire.

Fría al aire a 380 grados Fahrenheit durante 12-15 minutos, volteando y sacudiendo 3 veces durante la cocción o cocine hasta que esté crujiente.

Servir con trozos de limón.

La nutrición:

Calorías - 104 Kcal;

Grasa - 7,41g;

Carbohidratos - 5,42 G;

Proteína -3,93 G;

Yogur de coco saludable

Tiempo de preparación: 5 minutos

Tiempo de cocción: 10 minutos

Porciones: 6

Ingredientes:

Nata de coco2 latas

Probiotic4 cápsulas

Direcciones:

Primero, vierte la crema de coco en la olla. Pulsa el botón de Yogur y cuando rompa a hervir, abre la tapa y vigila la temperatura. Cuando la temperatura alcance los 120 F, abra las cápsulas y añada el polvo a la olla instantánea.

Remueva para mezclar el polvo con la crema.

Asegúrese de bloquear la tapa y elija el botón de yogur.

Ajuste el tiempo a 15 horas. Déjalo.

Cuando haya terminado, vierta el yogur en un bol y páselo al frigorífico durante un día.

La nutrición:

Calorías - 170,Proteínas - 5 g. Grasas - 1,4 g.

Carbohidratos - 33 g.

Avena con plátano caramelizado

Tiempo de preparación: 5 minutos

Tiempo de cocción: 20 minutos

Porciones: 4

Ingredientes:

Avena1 taza

Leche1 taza

Agua1,5 tazas

Mantequilla de cacahuete1/3 de taza

Plátanos 2

Mantequilla1 cucharada.

Direcciones:

Ponga los tres primeros ingredientes en la olla instantánea y cierre la tapa. Ajuste manualmente el tiempo para 8 minutos a alta presión. Deje que se cocine. Mientras tanto, corta el plátano en rodajas y derrite la mantequilla.

Apague la olla y libere naturalmente la presión. Añade la mantequilla y remueve bien.

Servir con la cobertura de plátano y chispas de chocolate.

La nutrición:

Calorías - 330

Proteínas - 7 g.

Grasa - 12 g.

Carbohidratos - 51 g.

Avena casera fácil

Tiempo de preparación: 5 minutos

Tiempo de cocción: 12 minutos

Porciones: 4

Ingredientes:

Avena cortada al acero1 taza

Azúcar moreno¼ de taza

Mantequilla2 cucharadas.

Sal1 pizca

Agua3 tazas

Arándanos½ taza

Almendras fileteadas½ taza

Direcciones:

Coge tu olla instantánea y añade la mantequilla, el azúcar moreno, la sal, el agua y la avena. Remueve y cierra la tapa. Ajusta el tiempo de cocción a 12 minutos.

Suelte la presión y remueva hasta obtener la consistencia deseada.

Servir con una cobertura de arándanos y almendras.

La nutrición:

Calorías - 140

Proteínas - 4 g.

Grasa - 2,5 g.

Carbohidratos - 26 g.

Avena instantánea saludable con fruta

Tiempo de preparación: 5 minutos

Tiempo de cocción: 15 minutos

Raciones: 2

Ingredientes:

Avena cortada al acero1 taza

Agua1. 5 tazas.

Mantequilla2 cucharadas.

Zumo de naranja1 taza

Arándanos1 cucharada.

Pasas de uva1 cucharada.

Albaricoques secos1 cucharada.

Jarabe de arce2 cucharadas.

Canela¼ de cucharadita

Nueces2 cucharadas.

Sal al gusto

Direcciones:

Añade todos los ingredientes en la olla instantánea y remueve para combinarlos bien. Asegúrate de cerrar la tapa y ajustar manualmente el tiempo a 10 minutos. Abrir la tapa, remover todo y pasar a las tazas de servir.

La nutrición:

Calorías - 98

Proteínas - 1,3 g.

Grasa - 4 g.

Carbohidratos - 14 g.

Huevo cocido energético

Tiempo de preparación: 5 minutos

Tiempo de cocción: 15 minutos

Raciones: 2

Ingredientes:

Huevo2

Agua1 taza

Direcciones:

Coge tu olla instantánea y añade la rejilla que viene con ella. Vierte 1 taza de agua y luego añade los huevos.

Asegúrese de cerrar la tapa y de programar 10 minutos a alta presión.

Suelta la presión que quieras y luego separa el huevo del agua para que se enfríe. Pelar y cortar por la mitad.

La nutrición:

Calorías - 60

Proteínas - 6 g.

Grasa - 4 g.

Carbohidratos - 0 g.

Tostadas de plátano

Tiempo de preparación: 5 minutos

Tiempo de cocción: 20 minutos

Porciones: 4

Ingredientes:

Mantequilla1 cucharada.

Avena cortada al acero1 taza

Agua3 tazas

Sal al gusto

Pasas¾ de taza

Direcciones:

Encender la función de saltear y añadir la mantequilla.

Cuando esté derretida, añadir el pan tostado y la avena.

Remover y hacer que se oscurezca.

Ahora añade el agua y la sal. Remueva y cierre la tapa.

Programe manualmente el tiempo para 10 minutos.

Cuando esté hecho, quita la tapa y remueve con las pasas.

Dejar reposar de 5 a 10 minutos para que la avena se espese.

Servir con su cobertura favorita.

La nutrición:

Calorías - 180

Proteínas - 5 g.

Grasa - 5 g.

Carbohidratos - 31 g.

Deliciosos huevos escoceses

Tiempo de preparación: 5 minutos
Tiempo de cocción: 30 minutos
Porciones: 4
Ingredientes:
Huevo4
Salchicha molida1lb.
Aceite vegetal1 cucharada.
Direcciones:
Coge tu olla instantánea y añade la rejilla que viene con ella. Vierte 1 taza de agua y luego coloca los huevos.
Asegúrese de cerrar la tapa y de programar 10 minutos a alta presión.
Suelta la presión como quieras y luego separa los huevos del agua para que se enfríen. Pele y envuelva los huevos con las salchichas alrededor de los huevos.
Retira la rejilla y pon la olla instantánea en función de saltear y saltea los huevos en el aceite vegetal. Reserve.
Vuelve a colocar la rejilla en la olla instantánea y añade el agua. Ahora coloca los huevos y programa el tiempo para 6 minutos.
Yap, listo
La nutrición:
Calorías - 288

Proteínas - 27 g.

Grasa - 16 g.

Carbohidratos - 1 g.

Delicioso yogur con fruta

Tiempo de preparación: 5 minutos

Tiempo de cocción: 45 minutos

Porciones: 6

Ingredientes:

Leche1 galón

Yogur griego½ taza

Pasta de vainilla2 cucharadas.

Fruta2 tazas

Azúcar1 taza

Direcciones:

Pon la leche en tu olla instantánea y pulsa el botón de yogur. Ajusta el tiempo a 45 minutos.

Apague la olla y cuando llegue a 115 F, añada el yogur y la pasta de vainilla.

Encienda la olla instantánea y vuelva a poner el botón de yogur. Deja que se cocine durante 8 horas.

Pasar el yogur a un tarro de tamaño adecuado y meterlo en la nevera. Déjelo durante 1 día.

Cuando se vaya a servir, hervir la fruta con el azúcar y enfriar antes de servir.

Poner el yogur en el vaso de servir y colocar la fruta encima del yogur.

La nutrición:

Calorías - 232

Proteínas - 10 g.

Grasa - 0,5 g.

Carbohidratos - 34 g.

Desayuno Quinoa

Tiempo de preparación: 5 minutos

Tiempo de cocción: 30 minutos

Porciones: 6

Ingredientes:

Quinoa1 ½ tazas

Agua2 ¼ tazas

Jarabe de arce2 cucharadas.

Vainilla½ cucharada

Canela¼ de cucharadita

Sal al gusto

Direcciones:

Añade todos los ingredientes en la olla instantánea y cierra la tapa. Ajuste manualmente el tiempo a 1 minuto a alta presión. Deje que se cocine.

Apague la olla y libere naturalmente la presión.

Esponjar y servir con bayas, leche y almendras fileteadas.

La nutrición:

Calorías - 400

Proteínas - 7 g.

Grasa - 2 g.

Carbohidratos - 22 g.

Gachas fáciles de trigo sarraceno

Tiempo de preparación: 5 minutos

Tiempo de cocción: 30 minutos

Porciones: 4

Ingredientes:

Grañones de trigo sarraceno crudos1 taza

Leche de arroz3 tazas

Plátano1, en rodajas

Pasas¼ de taza

Canela molida1 cucharadita

Vainilla½ cucharadita

Direcciones:

Poner en la olla instantánea el trigo sarraceno, la canela, la vainilla, las pasas, el plátano y la leche de arroz.

Asegúrese de cerrar la tapa y de programar 6 minutos a alta presión.

Cuando la cocción esté hecha, dejar que se libere naturalmente la presión y luego remover las gachas.

A la hora de servir, añadir más leche de arroz para conseguir la consistencia deseada.

La nutrición:

Calorías - 300

Proteínas - 7 g.

Grasa - 14 g.

Carbohidratos - 34 g.

Copos de avena con almendras

Tiempo de preparación: 5 minutos

Tiempo de cocción: 20 minutos

Raciones: 2

Ingredientes:

1 cucharadita de aceite de oliva

1 taza de avena cortada con acero

1½ tazas de agua

¾ de taza de leche de almendras

Direcciones:

Calentar el aceite en Sauté, hasta que haga espuma. Añada la avena y cocine mientras remueve hasta que esté blanda y tostada. Pulse Cancelar. Añade la leche, la sal y el agua y remueve.

Selle la tapa y presione las gachas. Cocine durante 12 minutos a alta presión. Fije la ventilación de vapor en Venting para liberar la presión rápidamente. Abra la tapa. Añada la avena mientras remueve para mezclar el líquido sobrante.

La nutrición:

Calorías - 350

Proteínas - 14 g.

Grasa - 8 g. , Carbohidratos - 26 g.

Mezcla para el desayuno

Tiempo de preparación: 5 minutos

Tiempo de cocción: 15 minutos

Raciones: 2

Ingredientes:

2 rebanadas de tocino, picadas

3 lonchas de jamón picadas

½ taza de caldo de pollo

1 taza de guisantes congelados

1 cucharadita de ajo en polvo

1 cucharadita de cebolla en polvo

Sal y pimienta negra al gusto

1 cucharada de perejil picado

Direcciones:

Pon tu Olla Instantánea en modo Saltear y ajusta a fuego medio. Pon el bacon y cocina hasta que esté crujiente, 5 minutos. Añade el jamón y caliéntalo todo, 1 minuto. Añade el caldo de pollo, los guisantes congelados, el ajo en polvo, la cebolla en polvo, la sal y la pimienta negra. Cierre la tapa, seleccione el modo Manual/Cocción a presión en Alto, y ajuste el tiempo de cocción a 1 minuto. Después de la cocción, haga una liberación rápida de la presión para que salga el vapor y desbloquee la tapa. Emplata la comida, adorna con perejil y sirve caliente.

La nutrición:

Calorías - 450

Proteínas - 29 g.

Grasa - 18 g.

Carbohidratos - 21 g.

Avena de arce y calabaza con corte de acero

Tiempo de preparación: 5 minutos

Tiempo de cocción: 25 minutos

Raciones: 2

Ingredientes:

1 cucharada de mantequilla

2 tazas de avena cortada con acero

¼ cucharadita de canela

3 tazas de agua

1 taza de puré de calabaza

½ cucharadita de sal

3 cucharadas de jarabe de arce

½ taza de semillas de calabaza tostadas

Direcciones:

Derretir la mantequilla en Sauté. Añadir la canela, la avena, la sal, el puré de calabaza y el agua.

Selle la tapa, seleccione Gachas y cocine durante 10 minutos a Alta Presión para obtener una avena de pocos bocados o durante 14 minutos para formar una avena blanda. Haz una liberación rápida. Abra la tapa y añada el jarabe de arce. Cubra con semillas de calabaza para servir.

La nutrición:

Calorías - 375

Proteínas - 22 g.

Grasa - 14 g.

Carbohidratos - 27 g.

Avena cortada al acero con café

Tiempo de preparación: 5 minutos

Tiempo de cocción: 20 minutos

Raciones: 2-4

Ingredientes:

3 ½ tazas de leche

½ taza de cacahuetes crudos

1 taza de avena cortada con acero

¼ de taza de sirope de agave

1 cucharadita de café

1 ½ cucharadita de jengibre molido

1 ¼ cucharadita de canela molida

½ cucharadita de sal

¼ cucharadita de pimienta de Jamaica molida

¼ cucharadita de cardamomo molido

1 cucharadita de extracto de vainilla

Direcciones:

Con una batidora, haga un puré con los cacahuetes y la leche hasta obtener una consistencia suave. Pasar a la olla. Añade a la mezcla de cacahuetes el sirope de agave, la avena, el jengibre, la pimienta de Jamaica, la canela, la sal, el cardamomo, las hojas de té y el clavo de olor, y mezcla bien.

Asegúrese de cerrar la tapa y cocine a alta presión durante 12 minutos. Deje que la presión se libere naturalmente al completar el ciclo de cocción. Añada el extracto de vainilla a los copos de avena y remuévalos bien antes de servirlos.

La nutrición:

Calorías - 350

Proteínas - 26 g.

Grasa - 17 g.

Carbohidratos - 19 g.

Torta de zanahoria de vainilla con avena

Tiempo de preparación: 5 minutos

Tiempo de cocción: 20 minutos

Raciones: 2

Ingredientes:

2 tazas de leche

1 taza de avena arrollada a la antigua

1 taza de zanahorias ralladas + extra para decorar

2 cucharadas de jarabe de arce

1 cucharadita de canela

¼ cucharadita de jengibre molido

1/8 cucharadita de nuez moscada rallada

1 cucharadita de extracto de vainilla

¼ de taza de dátiles picados

¼ de taza de nueces picadas

Direcciones:

Vierta la leche, la avena, las zanahorias, el jarabe de arce, la canela, el jengibre, la nuez moscada y la vainilla en la olla interior. Cierra la tapa, selecciona Manual en Alto y ajusta el tiempo de cocción a 3 minutos.

Después de la cocción, realice una liberación natural de la presión durante 10 minutos, y luego una liberación rápida de la presión para dejar salir el vapor restante.

Desbloquee la tapa, añada los dátiles y las nueces y sirva los copos de avena con una cuchara. Adorne con las zanahorias restantes y sirva.

La nutrición:

Calorías - 425

Proteínas - 31 g.

Grasa - 22 g.

Carbohidratos - 27 g.

Gachas de coco

Tiempo de preparación: 5 minutos

Tiempo de cocción: 20 minutos

Raciones: 2

Ingredientes:

1 taza de copos de centeno

Una pizca de sal

1 ¼ tazas de leche de coco

1 cucharadita de extracto de vainilla

2 cucharadas de jarabe de arce

¾ de taza de grosellas negras congeladas

Direcciones:

En la olla interior, combine los copos de centeno, la sal, la leche de coco, el agua, la vainilla y el jarabe de arce. Cierre la tapa, seleccione Manual/Cocción a presión en alto y programe el tiempo a 5 minutos. Después de la cocción, realice la liberación natural de la presión durante 10 minutos. Remueva y sirva con una cuchara las gachas de avena en cuencos. Cubra con grosellas negras y sirva caliente.

La nutrición:

Calorías - 340

Proteínas - 24 g.

Grasa - 16 g.

Carbohidratos - 19 g.

Bocadillos fáciles de carne de vacuno

Tiempo de preparación: 10 minutos

Tiempo de cocción: 50 minutos

Raciones: 2

Ingredientes:

½ libra de carne asada

½ cucharada de aceite de oliva

¼ de cebolla picada

1 diente de ajo picado

2 cucharadas de vino tinto seco

½ taza de caldo de carne

¼ cucharadita de orégano seco

4 rebanadas de queso Fontina

2 panecillos partidos

Direcciones:

Sazonar la carne con sal y pimienta. Caliente el aceite en Sauté y dore la carne durante 2 o 3 minutos por lado. Reservar en un plato. Añada la cebolla y cocine durante 3 minutos, hasta que esté translúcida. Incorpore el ajo y cocínelo durante un minuto hasta que se ablande.

Añada vino tinto para desglasar. Raspe la superficie de cocción para eliminar las secciones marrones de los alimentos utilizando el borde plano de una cuchara de madera. Mezcle el caldo de carne y lleve los jugos y la carne a su olla.

Sobre la carne, esparza un poco de orégano. Asegúrese de cubrir la tapa y cocine a alta presión durante 30 minutos. Dejar salir la presión de forma natural durante 10 minutos. Precalentar una parrilla. Lleve la carne a una tabla de cortar y córtela en rodajas. Enrolle la carne y cubra con cebolla. Cada sándwich debe estar cubierto con 2 rebanadas de queso fontina.

Coloque los sándwiches bajo el asador durante un par de minutos hasta que el queso se derrita.

La nutrición:

Calorías - 700

Proteínas - 55 g.

Grasa - 42 g.

Carbohidratos - 49 g.

Yogur de frambuesa

Tiempo de preparación: 5 minutos

Tiempo de cocción: 30 minutos

Raciones: 6-8

Ingredientes:

1 libra de frambuesas peladas y cortadas por la mitad

1 taza de azúcar

3 cucharadas de gelatina

1 cucharada de zumo de naranja fresco

8 tazas de leche

¼ de taza de yogur griego con cultivos activos

Direcciones:

En un bol, aplastar las frambuesas con un pasapurés.
Añadir el azúcar y remover bien para que se disuelva;
dejar reposar 30 minutos a temperatura ambiente. Añadir
el zumo de naranja y la gelatina y mezclar bien hasta que
se disuelva.

Retire la mezcla y colóquela en un recipiente con cierre,
ciérrelo y déjelo reposar de 12 a 24 horas a temperatura
ambiente antes de colocarlo en el frigorífico. Refrigere
durante un máximo de 2 semanas.

En la olla, añada la leche y cierre la tapa. La salida de
vapor debe colocarse en Venting y luego en Sealing.

Seleccione Yogur hasta que aparezca "Hervir" en las lecturas. Cuando haya terminado aparecerá "Yogur" en la pantalla. Abra la tapa y, con un termómetro para alimentos, asegúrese de que la temperatura de la leche sea de al menos 185°F.

Transfiera la olla de acero a una rejilla y deje que se enfríe durante 30 minutos hasta que la leche haya alcanzado los 110°F.

En un bol, mezclar ½ taza de leche caliente y el yogur. Transfiera la mezcla a la leche tibia restante y revuelva sin tener que raspar el fondo de la olla de acero.

Lleva la olla de nuevo a la base de la olla y cierra la tapa. Seleccione el modo Yogur y cocine durante 8 horas. Deje que el yogur se enfríe en el frigorífico durante 1-2 horas. Transfiera el yogur enfriado a un bol grande y añada la mermelada de frambuesa fresca.

La nutrición:

Calorías - 320, Proteínas - 25 g. , Grasas - 8 g. , Carbohidratos - 14 g.

Burritos de garbanzos y aguacate

Tiempo de preparación: 5 minutos

Tiempo de cocción: 30 minutos

Raciones: 2

Ingredientes:

1 cucharada de aceite de coco

1 cebolla roja mediana, finamente picada

1 pimiento rojo, sin pepitas y picado

1 diente de ajo picado

1 cucharadita de comino en polvo

1 ½ tazas de garbanzos enlatados, escurridos

½ taza de caldo de verduras

Sal y pimienta negra al gusto

3 tortillas de maíz

1 aguacate grande, cortado por la mitad, sin hueso y picado

½ taza de col roja rallada

3 cucharadas de cilantro picado

3 cucharadas de salsa de tomate

½ taza de crema agria

Direcciones:

Poner la olla instantánea en Sauté y ajustar a fuego medio. Calienta el aceite de coco en la olla interior y saltea la cebolla y el pimiento hasta que se ablanden, 4 minutos.

Añade el ajo, el comino y cocina durante 1 minuto o hasta que esté fragante.

Incorpore los garbanzos, caliéntelos durante 1 minuto removiéndolos con frecuencia y vierta el caldo de verduras. Sazona con sal y pimienta negra. Cierra la tapa, selecciona Manual/Cocción a Presión en Alto y ajusta el tiempo de cocción a 8 minutos.

Después de la cocción, realice una liberación natural de la presión durante 10 minutos, y luego una liberación rápida de la presión para que salga el vapor restante. Desbloquea la tapa, remueve y ajusta el sabor con sal y pimienta negra. Apague la olla instantánea. Coloque las tortillas en una superficie plana y divida el relleno de garbanzos en el centro. Cubre con los aguacates, la col, el cilantro, la salsa y la crema agria. Envuelve, mete los extremos y corta en mitades. Servir para el almuerzo.

La nutrición:

Calorías - 650, Proteínas - 49 g.Grasas - 32 g. Carbohidratos - 44 g.

Tazones fáciles de avena con frambuesas

Tiempo de preparación: 5 minutos

Tiempo de cocción: 20 minutos

Raciones: 2

Ingredientes:

1 taza de avena cortada con acero

1 ½ tazas de leche

2 cucharadas de miel

½ cucharadita de extracto de vainilla

Una pizca de sal

Frambuesas frescas, para decorar

Nueces de Brasil tostadas, para cubrir

Direcciones:

Añade la avena, la leche, la miel, la vainilla y la sal en la olla interior. Cierra la tapa, selecciona el modo de cocción manual/presión y ajusta el tiempo de cocción a 6 minutos en Alto. Cuando esté hecho, realiza una rápida liberación de la presión para que salga el vapor. Desbloquee la tapa y remueva los copos de avena. Divida en tazones y cubra con frambuesas y nueces de Brasil tostadas para servir.

La nutrición:

Calorías - 250

Proteínas - 18 g.

Grasa - 8 g.

Carbohidratos - 16 g.

Gachas de granada súper rápidas

Tiempo de preparación: 5 minutos

Tiempo de cocción: 5 minutos

Raciones: 2

Ingredientes:

1 taza de avena

1 taza de zumo de granada

1 taza de agua

1 cucharada de melaza de granada

Sal marina al gusto

Direcciones:

Coloca el agua, la avena, la sal y el zumo en tu olla instantánea. Remueve para combinar y cierra la tapa. Selecciona Gachas y cocina durante 3 minutos a presión alta. Una vez que esté listo, haga una liberación rápida de la presión. Abra la tapa con cuidado y añada la melaza de granada. Sirva inmediatamente.

La nutrición:

Calorías - 175

Proteínas - 14 g.

Grasa - 6 g. ,Carbohidratos - 11 g.

Sándwiches de pollo con salsa barbacoa

Tiempo de preparación: 10 minutos
Tiempo de cocción: 45 minutos
Raciones: 2-4
Ingredientes:

4 muslos de pollo, deshuesados y sin piel

Sal al gusto

2 tazas de salsa barbacoa

1 cebolla picada

2 dientes de ajo picados

2 cucharadas de perejil fresco picado

1 cucharada de zumo de limón

1 cucharada de mayonesa

1½ tazas de lechuga iceberg, rallada

4 panes de hamburguesa

Direcciones:

Sazone el pollo con sal y páselo a la olla. Añadir el ajo, la cebolla y la salsa barbacoa. Cubra el pollo dándole vueltas en la salsa. Asegúrese de cubrir la tapa y cocine a alta presión durante 15 minutos.

Hacer una suelta natural durante 10 minutos. Utilizar dos tenedores para desmenuzar el pollo y mezclarlo con la salsa. Pulse Keep Warm y deje que la mezcla se cocine a fuego lento durante 15 minutos para espesar la salsa, hasta que tenga la consistencia deseada.

En un bol, mezclar el zumo de limón, la mayonesa, la sal y el perejil; echar la lechuga en la mezcla para cubrirla.

Separe el pollo en partes iguales para que coincida con los bollos del sándwich; aplique la lechuga para cubrir y complete los sándwiches.

La nutrición:

Calorías - 750

Proteínas - 63 g.

Grasa - 49 g.

Carbohidratos - 57 g.

Tarta de calabaza de avena

Tiempo de preparación: 5 minutos

Tiempo de cocción: 35 minutos

Raciones: 2-4

Ingredientes:

3 ½ tazas de leche de coco

1 taza de avena cortada con acero

1 taza de calabaza rallada

½ taza de pasas de Corinto

⅓ taza de miel

1 cucharadita de canela molida

¾ cucharadita de jengibre molido

½ cucharadita de sal

½ cucharadita de ralladura de naranja

¼ cucharadita de nuez moscada molida

¼ de taza de nueces tostadas, picadas

½ cucharadita de extracto de vainilla

Direcciones:

En la olla, mezcle las pasas sultanas, la ralladura de naranja, el jengibre, la leche, la miel, la calabaza, la sal, la avena y la nuez moscada. Asegúrese de cubrir la tapa y cocine a alta presión durante 12 minutos. Haga una liberación natural durante 10 minutos. En los copos de avena, añada el extracto de vainilla y el azúcar. Cubra con las nueces y sirva.

La nutrición:

Calorías - 310

Proteínas - 25 g.

Grasa - 16 g.

Carbohidratos - 21 g.

Avena de cereza

Tiempo de preparación: 5 minutos

Tiempo de cocción: 20 minutos

Raciones: 2

Ingredientes:

2 tazas de leche

1 taza de avena arrollada a la antigua

1 cucharada de cacao en polvo

3 cucharadas de jarabe de arce

½ taza de cerezas secas

Yogur griego para cubrir

¼ de taza de nueces picadas

Instrucciones: Vierta la leche, la avena, el cacao en polvo, el jarabe de arce y las cerezas en la olla interior. Selle la tapa, seleccione Manual/Cocción a presión en Alto, y ajuste el tiempo de cocción a 3 minutos. Tras la cocción, realice una liberación natural de la presión durante 10 minutos, y luego una liberación rápida de la presión para que salga el vapor restante. Desbloquee la tapa, remueva y sirva con una cuchara los copos de avena en tazones. Cubra con yogur griego, nueces y sirva caliente.

La nutrición:

Calorías - 330

Proteínas - 26 g.

Grasa - 18 g.

Carbohidratos - 21 g.

Avena con champiñones y queso

Tiempo de preparación: 5 minutos

Tiempo de cocción: 35 minutos

Raciones: 2

Ingredientes:

1 cucharada de mantequilla

1 taza de champiñones cremini en rodajas

1 diente de ajo picado

1 cucharadita de hojas de tomillo

Sal y pimienta negra al gusto

1 taza de col rizada pequeña picada

1 taza de avena arrollada a la antigua

2 tazas de caldo de verduras

¼ cucharadita de copos de pimienta roja

¼ de taza de queso feta desmenuzado

Direcciones:

Poner la olla instantánea en Sauté y ajustar a fuego medio.

Derrite la mantequilla en la olla interior y saltea las setas

hasta que se ablanden ligeramente, de 4 a 5 minutos.

Añade el ajo, el tomillo, la sal y la pimienta negra. Cocine

hasta que estén fragantes, 3 minutos.

Mezcla la col rizada para que se marchite; añade la avena,

el caldo de verduras y los copos de pimiento rojo. Cierra la tapa, selecciona Manual/Cocción a presión en Alto y ajusta el tiempo de cocción a 3 minutos.

Después de la cocción, realice la liberación natural de la presión durante 10 minutos. Destape, remueva y ajuste el sabor con sal y pimienta negra. Sirva los copos de avena en tazones y cubra con queso feta. Servir caliente.

La nutrición:

Calorías - 320

Proteínas - 25 g.

Grasa - 17 g.

Carbohidratos - 22 g.

Croissants de huevo

Tiempo de preparación: 5 minutos

Tiempo de cocción: 8 minutos

Raciones: 2

Ingredientes:

4 huevos grandes

Sal y pimienta al gusto

4 rebanadas de tocino, cortadas en trozos pequeños

5 cucharadas de queso cheddar rallado

1 cebolleta verde, cortada en dados

4 croissants

Direcciones:

Coloque una cesta de vapor dentro de la olla instantánea y vierta 1½ tazas de agua.

Batir los huevos en un bol. Añadir a los huevos los trozos de bacon, el queso y la cebolleta. Mezclar bien.

Dividir la mezcla en 4 moldes para magdalenas.

Transfiere los moldes para muffins llenos a la cesta de la vaporera.

Cerrar la tapa y cocinar a alta presión durante 8 minutos.

Cuando termine la cocción, haga una liberación natural de la presión durante 5 minutos. Libere rápidamente la presión restante.

Saque los moldes para magdalenas de la olla instantánea.

Cortar 4 croissants por la mitad y rellenar con el contenido de los moldes para magdalenas.

La nutrición:

Calorías - 482

Proteínas - 21 g.

Grasa - 29,9 g.

Carbohidratos - 31,5 g.

Mañana de huevos con brócoli

Tiempo de preparación: 5-8 minutos

Tiempo de cocción: 8 minutos

Raciones: 2

Ingredientes:

3 huevos, batidos

½ taza de ramilletes de brócoli

Una pizca de ajo en polvo

2 cucharadas de tomate

1 diente de ajo picado

½ cebolla amarilla pequeña, picada

½ pimiento rojo picado

2 cucharadas de queso rallado

Una pizca de chile en polvo

2 cucharadas de cebollas

2 cucharadas de perejil

Pimienta y sal según sea necesario

Direcciones:

Coge tu olla instantánea de 3 cuartos; abre la tapa superior. Enchúfala y enciéndela.

Abra la tapa superior; engrase el interior de la superficie de cocción con un spray de cocina.

En un bol, bata los huevos.

Añada el resto de los ingredientes, excepto el queso.

Condimentar con pimienta y sal.

En la zona de la olla, añada la mezcla.

Asegúrese de cubrir la tapa y sellar su válvula.

Pulse el ajuste "VAPOR". Ajuste el tiempo de cocción a 5 minutos.

Deje que la receta se cocine durante el tiempo establecido.

Una vez finalizado el tiempo, pulse "CANCELAR" y luego pulse "QPR (Quick Pressure Release)".

La olla instantánea liberará rápidamente la presión.

Abrir la tapa; poner la fuente en platos de servir. Cubra con el queso.

Sirve y disfruta.

La nutrición:

Calorías - 376

Proteínas - 23 g.

Grasa - 28 g.

Carbohidratos - 39 g.

Tortilla de brócoli y queso

Tiempo de preparación: 5 minutos

Tiempo de cocción: 5 minutos

Raciones: 2

Ingredientes:

1 diente de ajo picado

½ cebolla amarilla pequeña, picada

½ pimiento rojo picado

3 huevos, batidos

½ taza de ramilletes de brócoli

Una pizca de ajo en polvo

2 cucharadas de tomates cortados en dados

2 cucharadas de cebollas cortadas en dados

2 cucharadas de perejil

2 cucharadas de queso rallado

Una pizca de chile en polvo

Pimienta negra y sal, al gusto

Spray de cocina, según sea necesario

Direcciones:

Coloque su olla instantánea en una superficie seca.

Abra la tapa; engrase el interior de la superficie de cocción con spray de cocina.

En un bol mediano, bata bien los huevos.

Añada el resto de los ingredientes, excepto el queso.

Condimentar con pimienta negra y sal.

Añade la mezcla a la olla instantánea.

Asegúrese de cerrar la tapa y sellarla correctamente.

Pulse STEAM; ajuste el temporizador a 5 minutos.

La olla instantánea comenzará a crear presión; deje que la mezcla se cocine durante el tiempo establecido.

Después de que el temporizador llegue a cero, gire la perilla de ventilación de la posición de sellado a la posición de ventilación. Espere hasta que la válvula del flotador baje (1-2 minutos).

Abrir la tapa y llevar la comida a un plato.

Cubrir con el queso; cortar por la mitad y servir caliente.

La nutrición:

Calorías - 389

Proteínas - 24,3 g.

Grasa - 28,7 g.

Carbohidratos - 9,8 g.

Desayuno de tarro

Tiempo de preparación: 15 minutos

Tiempo de cocción: 5 minutos

Raciones: 2

Ingredientes:

4 huevos

4 trozos de tocino, cocido de su carne preferida para el desayuno, como la salchicha

4 cucharadas de salsa de melocotón y mango, divididas

6 rebanadas de queso afilado o rallado, queso, Dividido Tater tots

Direcciones:

Poner 1¼ tazas de agua en la olla interior. Poner suficientes tater tots que cubran el fondo de los mason jars. Poner 2 huevos en cada uno. Pincha las yemas con un tenedor o con la punta de un cuchillo largo y fino. Añade la carne de tu elección, 2 rebanadas de queso para cubrir los ingredientes y 2 cucharadas de salsa. Añade más tater tots y cubre con 1 rebanada de queso. Cubre bien los tarros con papel de aluminio. Ponga los tarros en el IP, justo en el agua.

Bloquee la tapa y cierre la válvula. Fija la olla instantánea a alta presión manual durante 5 minutos. QPR cuando el temporizador emita un pitido. Abra la tapa. Retire con cuidado los tarros. Sirva.

La nutrición:

Calorías - 632

Proteínas - 38 g.

Grasa - 46 g.

Carbohidratos - 16 g.

Avena de vainilla y melocotón

Tiempo de preparación: 5 minutos
Tiempo de cocción: 3 minutos
Raciones: 2
Ingredientes:

1 melocotón picado

2 tazas de agua

1 taza de copos de avena

½ cucharadita de vainilla

1 cucharada de harina de lino

½ cucharada de jarabe de arce

Direcciones:

Coloque todo en su olla instantánea. Revuelva para combinar bien.

Cierre la tapa, y gire las ventilaciones a "sellado"

Pulse el botón "Pressure Cook" (manual), utilice el botón "+" o "-" para ajustar el temporizador durante 3 minutos. Utilice el botón "nivel de presión" para ajustar la presión a alta.

Una vez finalizado el temporizador, pulse el botón "cancelar" y deje que la presión se libere de forma natural hasta que la válvula de flotador baje.

Abra la tapa. Servir y disfrutar.

La nutrición:

Calorías - 193
Proteínas - 6,3 g.
Grasa - 3,3 g.
Carbohidratos - 27,6 g.

Avena de tarta de nueces

Tiempo de preparación: 5 minutos

Tiempo de cocción: 3 minutos

Raciones: 2

Ingredientes:

½ taza de avena cortada con acero

1¾ tazas de agua

1/8 de taza de half & half

2 dátiles Medjool, picados

¼ de taza de nueces picadas

3 cucharadas de jarabe de arce

½ cucharadita de canela molida

¼ de cucharadita de nuez moscada

Direcciones:

Poner todos los ingredientes en la olla y remover.

Asegúrese de cerrar la tapa y cocine a fuego alto durante tres minutos.

Cuando la cocción está completa, hace una liberación natural de la presión.

Servir caliente con jarabe de arce.

La nutrición:

Calorías - 230

Proteínas - 4 g.

Grasa - 8,2 g.

Carbohidratos - 37,1 g.

Avena de chía con bayas

Tiempo de preparación: 5 minutos

Tiempo de cocción: 6 minutos

Raciones: 2

Ingredientes:

1/2 tazas de avena antigua

½ taza de leche de almendras, sin azúcar

½ taza de arándanos

1 cucharadita de semillas de chía

Edulcorante o azúcar según sea necesario

Salpicadura de vainilla

Una pizca de sal

Una pizca de canela molida

1 ½ tazas de agua

Direcciones:

En el tazón mediano, mezcle bien todos los ingredientes, agregue la mezcla del tazón a un frasco del tamaño de una pinta y cúbralo con un papel de aluminio.

En la olla, vierta lentamente el agua. Tome el trébede y dispóngalo en su interior; coloque la jarra encima. Asegúrese de cerrar la tapa y cerrarla. Asegúrese de haber sellado la válvula para evitar fugas.

Pulse el modo "Manual" y ponga el temporizador en seis minutos. Espere unos minutos a que la olla adquiera presión interior y comience a cocinar.

Cuando el temporizador llegue a cero, pulse "cancelar" y libere la presión de forma natural. Tarda unos 8-10 minutos en liberar la presión de forma natural.

Abre la tapa con cuidado y coge el tarro. Mezclar con la avena; ¡servir caliente!

La nutrición:

Calorías - 114

Proteínas - 4,5 g.

Grasa - 3 g.

Carbohidratos - 18 g.

Cazuela de patatas y jamón para el desayuno

Tiempo de preparación: 5 minutos
Tiempo de cocción: 16 minutos
Raciones: 2
Ingredientes:

1 barra de mantequilla

¼ de taza de leche

¼ de taza de crema agria

¾ de libra de patatas, cortadas en dados y cocidas

¾ de taza de queso mixto rallado

¼ de taza de jamón, cortado en dados

2 cebollas verdes, cortadas en rodajas

Pimienta negra y sal, según sea necesario

Direcciones:

Coloque su olla instantánea en una superficie seca y abra la tapa.

Pulse SAUTE; añada la mantequilla y derrítala.

Incorporar las cebollas y las patatas; cocinar durante 4 minutos hasta que estén blandas y translúcidas.

Añadir la leche, el jamón, la crema agria, una pizca de pimienta negra (molida) y la sal; removerlos bien para cubrirlos.

Añade el queso por encima.

Asegúrate de cerrar la tapa y de que esté bien sellada.

Pulse MANUAL; ajuste el temporizador a 12 minutos.

La olla instantánea comenzará a crear presión; deje que la mezcla se cocine durante el tiempo establecido.

Después de que el temporizador llegue a cero, espere a que la válvula del flotador baje. Tardará entre 8 y 10 minutos.

Abre la tapa y pon la fuente en un plato.

Repartir en los platos/bañuelos de servir; servir caliente.

La nutrición:

Calorías - 528

Proteínas - 13,6 g.

Grasa - 27,3 g.

Carbohidratos - 46,8 g.

Huevos cocidos

Tiempo de preparación: 5 minutos

Tiempo de cocción: 3-9 minutos

Raciones: 2

Ingredientes:

Huevos grandes, todos los que necesite

1 taza de agua

Direcciones:

Coloca la cesta de la vaporera IP y vierte 1 taza de agua en la olla interior. Coloque los huevos en la vaporera. Cierre la tapa y la válvula de presión. Poner el IP a baja PRESIÓN durante 3-4 minutos para huevos cocidos blandos, 5-7 minutos para huevos cocidos medios, u 8-9 minutos para huevos cocidos duros.

Prepara un bol y llénalo hasta la mitad con agua fría y hielo. QPR cuando el temporizador emita un pitido. Abre la tapa. Transfiera los huevos inmediatamente en el baño de hielo. Dejar enfriar de 5 a 10 minutos .servir.

La nutrición:

Calorías - 63

Proteínas - 5,5 g.

Grasa - 4,4 g.

Carbohidratos - 0,3 g.

Quiche de jamón y salchicha

Tiempo de preparación: 5 minutos

Tiempo de cocción: 30 minutos

Raciones: 2

Ingredientes:

1 taza de agua

3 huevos

2 rebanadas de tocino, cocidas y desmenuzadas

¼ de taza de leche

1/4 de taza de jamón picado

½ taza de salchicha molida cocida

½ pizca de pimienta negra

½ taza de queso cheddar rallado

1 manojo de cebollas verdes picadas

1 cebolleta picada

Direcciones:

Vierta el agua en su olla instantánea. Mezcla los huevos junto con la sal, la pimienta y la leche, en un bol.

En una fuente de horno de 1 cuarto de galón, agregue el tocino, la salchicha y el jamón, y mezcle para combinar.

Añade los huevos y remueve para combinarlos de nuevo Espolvorear con cebollas verdes y queso.

Cubrir con papel de aluminio y colocar en la olla instantánea.

Cierre la tapa y cambie la ventilación a "sellada".

Pulse el botón "cocción a presión" (manual), utilice el botón "+" o "-" para ajustar el temporizador durante 30 minutos. Utilice el botón "nivel de presión" para ajustar la presión a alta.

Una vez hecho esto, presione el botón "cancelar" y gire la manija de liberación de vapor a la posición de "ventilación" para una liberación rápida hasta que la válvula de flotador baje.

Abrir la tapa. Servir caliente.

La nutrición:

Calorías - 396

Proteínas - 28,6 g.

Grasa - 31,7 g.

Carbohidratos - 4,3 g.

Conclusión:

Cuando se hace una dieta para perder peso o controlar una enfermedad, se está estrictamente obligado a seguir un plan de alimentación. Estos planes suelen imponer numerosas exigencias a las personas: es posible que haya que hervir los alimentos, que se prohíban otros, que sólo se puedan comer pequeñas porciones, etc.

Por otro lado, un estilo de vida como la dieta mediterránea está totalmente libre de estrés. Es fácil de seguir porque casi no hay restricciones. La dieta mediterránea no tiene límite de tiempo porque es más un estilo de vida que una dieta. No es necesario dejarla en algún momento, sino que hay que seguirla durante el resto de la vida. Los alimentos que se consumen según el modelo mediterráneo son los cereales no refinados, las carnes blancas y los productos lácteos ocasionales.

El estilo de vida mediterráneo, a diferencia de otras dietas, también requiere relacionarse con la familia y los amigos y compartir las comidas juntos. Se ha observado que las comunidades del Mediterráneo pasan entre una y dos horas disfrutando de sus comidas. Este tipo de unión entre los miembros de la familia o los amigos ayuda a acercar a las personas, lo que contribuye a fomentar vínculos más estrechos y, por tanto, menos casos de depresión, soledad o estrés, todos ellos precursores de enfermedades crónicas.

Conseguirá muchos beneficios utilizando la olla a presión Instant Pot. Estos son solo algunos casos que descubrirá en sus recetas de estilo mediterráneo:

La cocción a presión permite cocinar (por término medio) un 75% más rápido que hervir o rehogar en los fogones o que hornear y asar en un horno convencional.

Esto es especialmente útil para las comidas veganas que implican el uso de frijoles secos, legumbres y leguminosas. En lugar de remojar estos ingredientes durante horas antes de usarlos, puede verterlos directamente en la olla instantánea, añadir agua y cocinarlos a presión durante varios minutos. No obstante, siga siempre la receta con atención, ya que se ha comprobado su exactitud.

Los nutrientes se conservan. Puede utilizar sus técnicas de cocción a presión con la olla instantánea para asegurarse de que el calor se distribuye de manera uniforme y rápida. No es imprescindible sumergir los alimentos en el agua. Proporcionará mucha agua en la olla para una cocción eficiente. Además, conservará las vitaminas y minerales esenciales. Los alimentos no se oxidarán por la exposición al aire o al calor. Disfruta de esas verduras verdes y frescas con sus colores naturales y vibrantes.

Los elementos de cocción ayudan a mantener los alimentos totalmente sellados, por lo que el vapor y los aromas no perduran en toda la casa. Esto es una ventaja, especialmente en el caso de alimentos como la col, que desprende un olor característico.

Descubrirá que las alubias y los cereales integrales tendrán una textura más suave y tendrán un mejor sabor. La comida se cocinará de forma consistente ya que la olla instantánea proporciona una distribución uniforme del calor.

También ahorrarás mucho tiempo y dinero. Utilizará mucha menos agua y la olla está totalmente aislada, lo que la hace más eficiente energéticamente en comparación con hervir o cocinar al vapor sus alimentos en la estufa. También es menos costoso que usar un microondas, por no mencionar lo mucho más sabrosa que será la comida cuando se prepare en la olla Instant Pot.

Puede retrasar la cocción de sus alimentos para poder planificar con antelación. No tendrás que estar de pie mientras esperas tu comida. Puede reducir el tiempo de cocción reduciendo el tiempo de "mano". Sólo tienes que irte al trabajo o a un día de actividades, y volverás a casa con un manjar especial. En pocas palabras, la Olla Instantánea es:

Fácil de usar

Se ofrecen recetas saludables para toda la familia.

Puedes hacer auténticas recetas de una sola olla en tu
Instant Pot.

Si te olvidas de encender tu olla de cocción lenta, puedes
hacer cualquier comida en pocos minutos en tu Olla
Instantánea.

Podrá cocinar de forma segura y sin problemas la carne que
se encuentre congelada.

Es una forma relajada de cocinar. No tienes que vigilar una
sartén en el fuego o una olla en el horno.

El procedimiento de cocción a presión desarrolla
rápidamente deliciosos sabores.

CPSIA information can be obtained
at www.ICGtesting.com
Printed in the USA
BVHW012026270421
605961BV00007B/101